ON YELLOW
EVENINGS

Jordi Larios, a Professor of Spanish at the University of St Andrews, is the author of four collections of poetry and numerous academic publications. He has translated into Catalan works by Robert Coover, Henry James, Anthony Powell, Dorothy Parker, Saki, and Oscar Wilde, among others.

Ronald Puppo, a research fellow in Translation at the Universitat de Vic, is an award-winning translator of several Catalan poets, notably Jacint Verdaguer and Joan Maragall.

This translation has been published in Great Britain
by Fum d'Estampa Press Limited 2023
001

© Jordi Larios
Home sol: 1984
El cop de la destral: 2006
Rendezvous: 2013
En vespres grocs: 2020
All rights reserved.

English language translation © Ronald Puppo, 2023

The moral rights of the author and translator have been asserted
Set in Minion Pro

Printed and bound by Great Britain by CMP UK Ltd.
A CIP catalogue record for this book is available from the British Library

ISBN: 978-1-913744-44-1

This work was translated with the help of a grant from the Institut Ramon Llull.

ON YELLOW EVENINGS

JORDI LARIOS

Translated by

RONALD PUPPO

TABLE OF CONTENTS

ON YELLOW
EVENINGS

Per a la Montserrat

For Montserrat

HOME SOL

MAN ALONE

(1984)

Exordi

Llença't a l'aigua turbulenta dels sentits
i fes-ne crònica de veritat aguda.
Veuràs que tot és res perquè tot muda
i els dies són més foscos que les nits.

Exordium

Dive into the senses' troubled waters
and chronicle it all with truth that bites.
You'll see how all is nothing, how everything changes,
and days are darker than the nights.

L'atzar

Ben a la vora de l'instant que vius
hi ha els fats de la dissort que sotgen, àvids
de desplaure, i camines sense veure'ls,
refiat solament de la ventura
poc cautelosa de l'instint.

Chance

Fast by the instant you are living
the Fates of misfortune watch and wait, eager
to torment, and you walk on not seeing,
trusting only to the chance
of reckless instinct.

El poema

Canvio l'aigua de l'aquari de colors,
fullejo llibres savis, procurant
abastar-ne el sentit que s'anticipa
al traç del meu dibuix, miratge clar,
presagi violent o anguniosa calma.
Si tinc un sol moment de lucidesa,
serà només això, la ràfega imprevista
que em torna als indolents suburbis del silenci.
Després no cal sinó sotmetre's i refer
la complicada equació de les paraules.

Poem

I change the water in the coloured fish-tank,
then go leafing through learned books, trying
to catch the meaning that precedes
the lines of my sketching, bright mirage,
violent foreboding or anguished calm.
If I have a single lucid moment,
it will only be this, the sudden blast of wind
that brings me back to the idle suburbs of silence.
Then the only thing is to surrender, and rework
the complicated equation of words.

Tornant

La tarda s'esgarria entre baladres
d'un bosc esbojarrat d'ocells. Triem
colors. Almívar i ocres greus, verd lluny
d'arbust o plata bruta als promontoris.
Els arbres muts comencen a filtrar
la queixa espessa, un fred esperrucat
de fulles femenines. Sord tambor
de vent o flauta fosca. En el camí,
la pols suspesa. Un altre dia fuig
sense neguits ni pressa, i t'ho vull dir
només perquè recordis tal com era.

Going back

Afternoon wanders among the oleanders
of a copse frantic with birds. We pick out
colours. Amber and deep ochres, a shrub's
distant green, dull silver on the headlands.
The unspeaking trees begin to filter
a thick lament, the dishevelled chill of
delicate leaves. The wind's muffled
drum-beat or else dark flute-song. Dust
stirs along the path. Another day runs its calm
unhurried course and I want to tell you about it,
just so you might remember how it was.

Absència

Octubre s'ha emprovat els dies curts
i, amb la desgana infinita de sempre,
el fred guarneix el cel amb fils de gris
i sanefes de núvols que entreveig
pel finestral mig entornat de casa.
No hi ets i temo el temps i el tarannà
somort de les setmanes sense tu.

Absence

October has tried on shorter days
and, infinitely reluctant as ever,
cold hangs the sky with grey ribbons
and trimmings of cloud that I catch sight of
through the half-curtained window at home.
You are away, and I dread the hours and failing
spirit of the weeks without you.

Matinada

Deixa't endur pels rius de tot el temps
que ens hem donat. Encara quarts de set,
relleus de lluna i pluja al celobert
on creix la matinada. És aspra l'hora
de nacre i gris i de camins que es fonen.
Queden riells i l'esma d'un record
àgil com tu que em beses quan s'estén
aquesta crua, llepissosa llum
de maig i el brut silenci de les aigües.

Early morning

Let yourself be carried along by the rivers of all the time
we have given each other. It's only going on seven,
patterns of moon and rain in the lightwell
where morning grows. It's a morning made harsh
with mother-of-pearl and grey and fading paths.
Trickles remain, and the trace of a memory
as supple as your kisses in the spreading
of this raw, clammy, May-time light
and the dank silence of water.

Límits

Hi ha cossos fluvials que s'han endut
les meves nits cap a estuaris de tendresa,
efímeres aurores que desguassen
a l'istme transitat de la memòria.
Avui clarejo a dintre teu i uns ulls
esterrejats de sol em delimiten.

Limits

There are river bodies that have swept
my nights away to tender estuaries,
fleeting dawns that come spilling out
onto the busy land-bridge of memory.
Today my first light shines inside you, and my limits
are drawn by sun-scrubbed eyes.

A l'ombra dels til·lers...

A l'ombra dels til·lers, per avingudes
tranquil·les de novembre, quan comença
el repòs necessari de les coses,
ens estimem i aquesta hora ens trasbalsa.

Shaded by lindens...

Shaded by lindens, down quiet
November avenues, at the start
of the respite that all things need,
our love swells and the moment takes hold in us.

Hotel buit

Escriu-me jeroglífics a la sorra
imberbe de la platja. Tots els noms
que saps i els que has après aquest migdia
de camps bladers i de panotxes fosques.
Ajeu-te sota els plàtans que ofereix
la tarda transparent. I les glicines.
Vespreja amb mi. No hi ha cap llum intrusa
que ens faci mal. Capbussa't en el gest
més brusc que em busca. Embarca't als meus braços
i dorm. La llarga eslora de la nit
a sotaigua dels somnis. Que demà
un cos exhaust recordi l'hora d'ara:
mar encalmat i música de reggae
a les terrasses desertes. Fa fred
i la lluna s'enfila pels teulats.

Empty hotel

Trace runes for me in the skin-smooth sand
at the sea's edge. All the names you know
and those you learned this noonday
of grain-fields and dark ears of maize.
Lie down under the plane trees served up
by the clear afternoon. And the wisteria.
Be with me at evening. No light intrudes
to assail us. Plunge into reaching out
to find me. Set sail here in my arms
and sleep. The length of night's great hull
submerged beneath dreams. And tomorrow
let a weary body bring to mind this hour:
calm sea and reggae music
on deserted terraces. It's cold
and the moon creeps up the rooftops.

Mesures

De nit bastem estels des de les roques
i el far fulgura lluny. Olors de brea
que l'aire no dissol, silenci i rems
i escuma lenta d'hores. Sento veus
distants com ho és el gest que et sé i que vull
guanyar per mi tot sol. Les mans també
saben els llocs, la terra humida, el so
confús i la mesura justa, allò
que ets tu estirada un altre cop molt lluny
de mi quan surto i em redreço i compto
curculles que el desig ha arrossegat
fins a nosaltres, nus i sorra tèbia.
El cos a la deriva. Cap a costes
on brinca el sol. L'oblit entre pedretes.

Measures

At night, from the rocks, we gather stars
and the lighthouse flashes far away. The aroma of pitch
persistent in the air, silence and oars
and the slow foam of hours. I hear voices
as distant as your gesture, so familiar,
that I would take and have all to myself. My hands, too,
know these hidden places, the wet ground, confused
sounds and the exact measure: all
that you are, lying again so very distant
from me when suddenly I get out and sit up and count
the shells that desire washed
our way, naked on the warm sand.
The body set adrift. Out towards the shores
of skipping sunlight. Oblivion among the pebbles.

Freds

Olis de pluja han platejat la platja.
Cobreix el cel la vànova dels núvols
i els grisos crema del crepuscle tornen
pel trau de la finestra. Barques breus
acluquen blaus de blonda a la mar llisa.
Cap lluna m'estalona. Cap fulgor
en el mirall translúcid de les hores
que et van abandonant. S'esbrava groc
difús. El dia cruix. Cap flanc de llum
i m'obres. Cara clara i cabell fosc.
Eixuga freds que porto. M'han perdut
tots els carrers fins a trobar-te. Rius.

Cold

Oils of rain have given the beach a silvery sheen.
A spread of clouds drapes the sky,
an array of twilight creamy greys come back once more
through the eyelet of the window. Bantam boats
dot the blue lace on the smooth sea.
No moon to brace me. No radiance
in the clear glass of the passing hours
that slip from you. A hazy yellow
grows fainter. The day creaks. No flank of light
as you let me in. Face bright, hair dark.
Wipe away my cold. I was lost
on every street until I found you. You laugh.

Vanitats

Es troben al cafè a les deu tocades.
Ella és bonica i el cambrer la mira
i no sap que ella ho sap i que se'n riu
amb ell que està content que algú l'envegi
i pensi que se'n van a dormir junts.

Vanities

They meet in the café a little after ten.
She's so lovely and the waiter eyes her
not knowing that she senses this and laughs
about it with he who is glad to be envied
by another who thinks they are sleeping together.

Nen

Per a en Roger i l'Isaac

Ella que ens trena al mateix tronc i ens tracta
com dues branques tendres de cantó
no vol que cap ventada arrenqui els brots
del meu futur i el teu futur més ample.
Tu concilia'm. Jo et cabdellaré
la troca de les tardes i els ponents
de coure que t'amarin de tristor.

Child

To Roger and Isaac

She who weaves us to one trunk and takes us
for two slender branches side by side
would let no gust come wrenching out the shoots
of my future, and yours, farther reaching.
Put me at peace. I'll wind for you
the skein of afternoons and copper
sunsets that steep you in sadness.

Darrere els vidres

És bo mirar l'hivern tustat
pel vent fredíssim de la tarda,
seguir les fulles que puntegen
un últim raig de sol clement.
Saber deixar-ho passar tot
sense que res no ens comprometi.

Behind windowpanes

It's good to watch the winter pelted
by an icy afternoon wind,
to trace the leaves glimmering
in the last ray of kindly sunlight.
To let everything go its way,
together we two: no other commitment.

Intempèrie

La crisi de l'ocàs mai no sorprèn
el vol de les gavines, i els afores
de l'illa han emmudit. Només l'impuls
impacient del mar ens protegeix
de la recta duresa de les roques.
L'engrut de branques altes empastifa
els pulcres pentagrames d'horitzó.
Els núvols folren trossos breus de cel
i el gris se'ns adhereix com un costum.
La lenta erosió dels dies – dius –
és un paisatge similar. No res
de vent que excita herba feliç, verdet
de moltes pors, somriures com la sorra.
La vida ens ha escopit a aquesta platja
amb molt poques defenses naturals.

Rough weather

The crisis of the sunset never startles
the seagull's flight, and all around the island
silence settles. Only the sea's impatient
heaving can protect us now against
the hard, stark menace of the rocks.
The horizon's neat staves are muddled
in the chaos of the highest branches.
Clouds pack into short patches of sky
and greyness clings to us like a habit.
The slow erosion of passing days – you say –
is a similar landscape. No trace
of wind to stir the carefree grass, verdigris
of so many fears, smiles like the sand.
Life has spat us out onto this beach
with barely any natural defence.

Mirall

L'estiu incrusta purpurina i blau
a la façana blanca de les cases.
Anem a l'escullera. Onades lleus
de brisa han esbullat el teu reflex
a les aigües submises.
                              S'han endut
matins fulgents, captards cremosos, nits
de cauta lluna, de miralls i d'ombra
que ho inunda tot: els cossos nus, aquell
instant de fred i un vent felí de besos.

Mirror

Summer inlays purple and blue
on the white façades of the houses.
We go to the jetty. Gentle waves
lifted by a breeze wobble your reflection
on the placid waters.
                                They have swept away
shining mornings, creamy dusks, nights
of cautious moons, of mirrors and of shadows
spreading over everything: naked bodies, the
chilling instant and a catlike wind of kisses.

Present històric

Un raig de sol s'esbrava dolçament
pel tímid tatuatge de la tarda
i em deixa el fred desfici del que em fuig
sense el dolor excessiu d'una estrebada.
Escolto el mar que enroca i que cedeix,
que torna i es regira i s'abandona
al peu de l'espadat. Cauen gavines
del cel. S'estimben oliveres cap al ras
del vespre. Llum esmicolada. Res.
No costa gens pujar l'escala bruta
de calç que cau, de pluja, i arribar
de nit i escarrassar-me als teus ulls clars
de juny on cap derrota és impossible.
Cos contra cos embarranquem els dies.
Els anys, els ignorem. Cada record
ens encabeix en un present històric.

Historical present

A ray of sunlight fades out gently
in the late afternoon's faint tattoos,
and I feel the anxious chill of loss
but with no jolt of stinging pain.
I hear the sea crash on the rocks, recede,
then return, then stir, resigned,
below the cliffs. Seagulls dive down
from the sky. Olive trees tumble at first
dusk. Crumbled light. Nothingness.
It's so easy to climb the stair strewn
with lime, fallen rainlike, and arrive with the night
and plunge myself into your June-lit eyes
where no defeat is impossible.
Body against body we run the days aground.
We take no notice of the years. Each memory
plants us firmly in the historical present.

Neutralitat

La dolça escorrialla de colors
d'aquest captard s'instal·la a les arbredes.
Abril imposa poques flors. No cal
que salti crosta dura, que ens confongui
un flux constant de vida verda i molla.
Desfem el nus difícil, el que ens té
lligat el pensament. Ens agombolen
els camps menuts, els pins soferts i lúcids,
i un sol manyac que llepa mans i cara.
O l'estranya paràlisi del món
que no ens admet cap fe ni s'interposa
a l'avidesa dels sentits. Mirem.
Encara hi ha un desfici a les finestres,
les últimes ditades de l'hivern.

Neutrality

The soft residue of the colours
of this dusk now settles among the trees.
April brings few flowers. The hard crust
needn't fall away, the steady flux
of tender green life needn't bewilder us.
Let's undo the tricky knot, the one that
ties fast our thougths. We take shelter in
tiny fields, resilient lucid pines,
and a gentle sun lapping our hands and faces.
Or in the uncanny stasis of the world
that takes no faith and gives free rein
to our eager senses. Look:
a trace of restlessness still on the windows,
the last fingerprints of winter.

Evocació

Quan ve la nit i bolca mantellines
en els balcons esportellats del golf,
torna el perfum, l'obsessió del cos
tan moll, les cales que hem perdut, el brut
estiu, la cara obscura de l'amor,
el temps, tots aquests versos que després
no t'he donat, i ets tu qui els acompanya
avui que el vent tragina fulles mortes
i a la platea grisa del carrer
groguegen els desmais cansats de caure.

Evocation

When night comes and drapes mantillas
on the gaping balconies of the gulf,
the perfum returns, the magnet
wetness of body, the coves no longer ours,
the scruffy summer, the uncharted side of love,
time-frame, all those verses that I never
gave you, and you are there with them
today as the wind chariots the dead leaves away
and in the grey stalls of the street
the willows turn yellow weary of drooping.

Home sol

Passejo per carrers endiumenjats
i les hores travessen lentament
l'escenari del vespre.
                    Plovisqueja
i en un revolt del crepuscle encalmat
m'insisteix la peresa, i l'enrenou
sobrer de les paraules m'entotsola.

Man alone

The streets I walk are in their Sunday best
and the hours go slow out on
the stage of evening.
                        In the drizzle,
at a turning in the calm of the half-light
I grow sluggish, and the clattering of
too many words renders me alone.

Renúncia

*Un altre dia exagerat. Un altre
dia se't mor cregut que el seu color
no tornarà mai més.*
Gabriel Ferrater

Un altre dia es mor, ingrat i rosa,
darrere el mar que ens mulla i a l'extrem
encara tebi dels turons color
de terra fosca i de taronja. Cull
el tel més fi d'aroma que rellisca
roques avall, l'última llum concreta
d'un altre dia confiat. Després,
que l'aigua bruta de l'oblit cobreixi
tots els racons d'avui, fins els més íntims.

Renunciation

*Another exaggerated day. Another
day dies believing its colour
will never return.*
Gabriel Ferrater

Another day dies, thankless and rose-coloured,
behind the sea that bathes us and on the farthest
of the still-warm hills colour
of dark earth and orange. Fetch
the faintest vapours of fragrance that glide
down the rocks, the last glimmer of light
of another unsuspecting day. After this,
let the dank waters of oblivion flood
every, even the most intimate, corner of today.

Al capdavall…

Perder placer es triste
Como la dulce lámpara sobre el lento nocturno.
Luis Cernuda

Al capdavall,
ja sé que em recaran els dies sense nits
intel·ligents,
els protocols llarguíssims abans de la gatzara.

In the end...

> *Losing pleasure is sad*
> *Like the soft lamp over a slow nocturne.*
> Luis Cernuda

In the end,
I know I'll regret the days without
intelligent nights,
the long, long protocols before the shindig.

EL COP DE LA DESTRAL

THE BLOW OF THE AXE

(2006)

This is the first thing
I have understood:
Time is the echo of an axe
Within a wood.
Philip Larkin

Versos

Gràcil, imprevisible escuma
que colga un sol instant els farallons
de vida compartida.
                          Que llegir-los
sigui només un moviment gentil
de l'aigua, un simple clapoteig obscur.

Verses

Supple, unpredictable foam
that veils for only an instant the reefs
of life shared.
           Let reading them
come as just a graceful movement
of water, an easy opaque lapping.

Aritmètica

Calcula el gruix estrany de les paraules,
la insospitada música del vers,
els meandres esquerps de la sintaxi,
i l'aptesa del to.
                    Calcula-ho tot.
Tensa el poema fins al límit. Fes
que et doni el nom exacte de les coses.

Arithmetic

Calculate the odd width of words,
the unguessed music of verse,
the unruly meander of syntax,
and the rightness of the tone.
                              Calculate it all.
Pull on the poem to the limit. Make
it give you the true names for things.

Propietat privada

Marca el perímetre d'aquest poema
i deixa'l buit.

Que passin les setmanes,
els mesos, fins i tot els anys,
sense acostar-t'hi, propietari absent
que menysté el seu valor
i es dedica a negocis més rendibles.

Que les pluges i els sols el converteixin,
a poc a poc, en una terra fèrtil.

Que la vida hi aboqui
un munt imprescindible de dolor
i les hores més dolces.

Private property

Mark off the perimeter of this poem
and leave it empty.

Let the weeks go by,
the months, and years too,
not going near it, absentee owner
who underrates its value
for higher yielding enterprise.

Let the rains and the suns convert it,
little by little, into fertile land.

Let life pour into it
an indispensable pile of pain
and the very sweetest of hours.

Luis Cernuda

Te l'imagines entre els murs altíssims
d'una cambra ordenada, adolescent
perplex que clava els ulls a la finestra
i la vaga promesa d'un jardí.

Després te l'imagines amb Salinas
o sol en algun cine de Toulouse.
Són anys de llibres lúcids i propicis,
com els de Gide, i músiques de jazz.

Te l'imagines pels carrers de Glasgow
– pluja meticulosa, fred punyent –,
com un Llàtzer anònim que sospesa
l'error i la follia d'ésser viu.

També te l'imagines a Southampton
un dia brúfol de finals d'estiu
de mil nou-cents quaranta-set. L'esperen
la soledat de sempre i arbres nous.

Te l'imagines, finalment, a Mèxic,
feliç de retrobar la dura llum
del sud, i encara més feliç de caure
a l'última emboscada del desig.

Luis Cernuda

You imagine him inside the high walls
of a tidy room, perplexed
teen, his gaze fixed on the window
and the vague promise of a garden.

Next you imagine him with Salinas
or alone in some Toulousian cinema.
These are years of splendid timely books,
like those by Gide, and music, especially jazz.

You imagine him on the streets of Glasgow
– clockwork rain, biting chill –
like an anonymous Lazarus, taking in
the error and madness of being alive.

You imagine him, too, in Southampton
some inclement day at summer's end
in nineteen forty-seven. Far away await
his unfaltering loneliness and new trees.

You imagine him, finally, in Mexico,
happy to rejoin the harsh light
of southern lands, and happier still to fall
into one last ambush of desire.

I t'imagines sobretot l'esforç
commovedor i constant, d'escriure, escriure,
escriure els versos clars que t'acompanyen
per foscos viaranys del capaltard.

And you imagine, most of all, the driving
and relentless effort of writing and writing and
writing those light-bringing lines that come to your side
on the dim-lit, twisting paths of dusk.

Acròbates

*Well, the way of paradoxes is the way of truth. To test
Reality we must see it on the tight-rope. When the Verities
become acrobats we can judge them.*
Oscar Wilde

Posem els fets
sobre la corda fluixa.
(La paradoxa encén
un foc esplèndid on crepiten
resseques veritats.)

Acrobats

Well, the way of paradoxes is the way of truth. To test
Reality we must see it on the tight-rope. When the Verities
become acrobats we can judge them.
Oscar Wilde

Let's put the facts
on the tightrope.
(Paradox sparks
a splendid fire crackling with
dried-out truths.)

Postal de març

L'hivern, mesell, encara s'estarrufa
sobre les tanques i els jardins glaçats.
Callen els arbres estrafets de Roath
i els verds fredíssims de la gespa absorta.
El cor, però, amb prou feines enregistra
aquest silenci vegetal.
                         Només
la llum, la pura llum, impuls que dubta
i creix, o s'arrauleix entre els matolls
i la tristesa groga dels narcisos.

Postcard in March

Winter, comatose, still bulges
on the fences and frozen gardens.
The deformed trees of Roath stand silent
like the ice-cold greens of the engrossed grass.
Yet the heart barely takes notice of
the vegetal silence.
                    Only
the light, the ever-clear light, impulse demurring,
now growing, now shrinking among the shrubs
and the yellow sorrow of the daffodils.

Postal d'abril

Cel desmoblat:
cap esquinçall de núvol empastifa
l'afer desmesurat de l'horitzó.
Sense esma, el vent ha dut
un neguit esporàdic de bardisses
fins a l'embarcador de Roath.
L'aigua del llac assaja
verds cautelosos i llisquents.
(Els blaus abúlics que t'agraden
no saben imposar-se.)
           Lluny,
uns altres verds comencen a tensar
el gest absurd i negre de les branques
dels *cherry trees*.
           Distrets, tu i jo escoltem
aquest fervor d'ocells que es gronxen
als fins trapezis de la llum.

Postcard in April

Skies unfurnished:
not a shred of cloud sullies
the enormous doings of the horizon.
Dispirited, the wind has carried
the odd bramble of disquiet
out to the quay of Roath.
The lake waters try out
greens, cautious and slippery.
(The indolent blues you are so fond of
fail to come through.)
                       Far-off,
other greens begin to pull
the absurd bone-black sweep of the branches
of the cherry trees.
                       Nonchalant, you and I listen
to the fervour of birds riding
to and fro on thin trapezes of light.

Els afores

Es drecen els carrers
inhòspits i llarguíssims,
i l'herpes dels *graffiti*
cobreix els murs opacs.
Des del balcó del cel,
la lluna, escotorida,
es mira el camp obert
on rauquen les xeringues.

The outskirts

The forbidding streets
stretch deep and far,
and graffiti extends along
the dull walls like herpes.
From its balcony in the sky,
an astute moon looks
down at the abandoned plot
filled with croaking needles.

Conjectures

Potser la mort ens sorprendrà
un migdia de llum eixelebrada
als recs eixuts.

O alguna tarda neguitosa i aspra
de vent banal a les terrasses breus.

O bé de nit, qualsevol nit,
entre els lladrucs de l'ombra.

Potser només serà
com un paisatge gèlid de la ment,
una frontera blanca on s'agrumollen
els somnis capolats.

O l'última derrota dels sentits:
un pur desistiment del cos que avui
a penes s'anuncia.

La vida, mentrestant, ens ofereix
un embull permanent de conjectures.

Conjectures

Perhaps death will surprise us
some noonday of reckless light
out in the sunbaked furrows.

Or some distressed and bitter afternoon
of vapid winds on stubby terraces.

Or at night, no matter the night,
amid the yelping shadows.

Perhaps it will only be
as though an icy landscape of the mind,
a blank borderland lumping together
shredded up dreams.

Or else the final defeat of the senses:
the sheer yielding of the body all but
unannounced today.

Life, meanwhile, tenders us
a never-ending tangle of conjectures.

The Dublin Castle

Per a en Roger

No deixis que t'engrapi
la tèrbola tristesa del dissabte.
Acosta't a la barra i fes com tots.
Concedeix-te un instant, una cervesa
que t'empari dels rostres i les veus
tan encrespades o tan lentes.
                                        Traça
calladament un horitzó
de coses netes i tangibles. Surt
de tu mateix. Aferra't al somriure
prolífic dels que arriben. *Loosen up.*
Aprèn, com ells, a repenjar-te en una escuma
d'oci estrident.

La nit és un forat molt fondo
que regalima *rock and roll.*

The Dublin Castle

For Roger

Stay clear and away
from the murky sorrow of Saturdays.
Take a stool at the bar like everyone else.
Treat yourself to the moment, to a beer
that harbours you from the faces and voices
so irksome and so slow.
                                    Trace
quietly a parcel of horizon
of things clear-cut and tangible. Exit
from yourself. Drop anchor in the swell
of smiles coming in. Loosen up!
Learn, as they have, to lean into the foam
of strident leisure.

The night is a deep, deep well
bucketing out rock and roll.

Elegia

Per a l'Alexandre Pinheiro Torres, in memoriam

Alex, la mort ja no t'empaitarà
pels grisos corredors d'aquesta casa
– asbestos i rajol – de Corbett Road.

No sentirem la rialla de sàtir
bonhomiós alçar-se dels sillons
decrèpits de la *Senior Common Room*.

La teva veu ja no retrunyirà
a les aules polsoses ni als despatxos
on fem el te i ens reescalfem el tedi.

No escarnirem mai més la *middle class*,
els hàbits pulcres de col·legues tèrbols,
o els hàbits tèrbols de col·legues ínfims.

Ja no seràs un *dago* a Gran Bretanya
ni un vell *enfant terrible* a Portugal.
Ja no escriuràs novel·les a la tarda.

Te'n vas anar a finals de juliol
de mil nou-cents noranta-nou, un dia
impropi d'infermeres i rumors.

Elegy

To Alexandre Pinheiro Torres, in memoriam

Alex, death will no longer hound you
down the grey corridors of this building
– asbestos and red brick – on Corbett Road.

We won't be hearing your good-hearted
satyr's laugh lifting from the ancient
armchairs of the Senior Common Room.

Your voice will no longer boom
in the timeworn classrooms and offices
where we brew tea and rewarm the tedium.

We won't poke fun at the middle class,
or slimy colleagues' neat and tidy habits,
or the slimy habits of appalling colleagues.

Gone are your days of *dago* in Great Britain,
and old *enfant terrible* in Portugal.
No more will you write novels in the afternoons.

You went away the end of July in
nineteen hundred ninety-nine, a day
never meant for nurses and rumours.

Ara recordo veus, rialles, gestos:
la teva tendra desmesura, i sé
que no ets res més que els teus admiradors.

I remember voices, laughter, gestures:
your tender larger-than-lifeness, and I know
that now you are no more than your admirers.

Nit de Sant Joan

Les mans menudes de la pluja
als amples finestrals del menjador.
Ínfima nit sense crits ni fogueres.
Només la brusca impertinència del vent
i fines làmines de fred.

Avui enyores altres junys
d'aire fruitat i geranis encesos.

Saint John's Eve

The tiny hands of rain
on the broad windows of the dining room.
A paltry night devoid of shouting and bonfires.
Only the gruff impertinence of the wind
and thin slices of chill.

Today you miss those other Junes
of fruit on the air and flaming geraniums.

Cementiri

La llum colèrica d'agost
colpeja els ulls atònits.
                    Taxis lents
sobre la cinta bruta de l'asfalt,
entre xiprers arcaics i una esplanada.
Aquí la mort és un garbuix de pedra i flors
i tardes com aquesta, en què el silenci
s'arrapa als murs escrostonats.
                              Aquí
la brisa és un no res que s'aparella
amb foscos pensaments.
                        Venim
a fer-nos companyia, a comprovar
que no hi som tots i el món encara gira,
incomprensiblement.
                    Després algú
proposa que resem un parenostre
just abans de marxar (paraules, més
paraules inservibles), i jo et veig
enmig de tots, imprecisa figura
fora del temps.
                Aquí per tu comença
l'hora intractable del dolor.

Cemetery

The irascible light of August
strikes astonished eyes.
                              Slow-moving taxis
over the hard ribbon of asphalt, between
antiquated cypresses and the esplanade.
Here death is a ruckus of stone and flowers
and afternoons like this one, when silence
clings to the crusty walls.
                              Here
only a hint of a breeze comes to couple
with thoughts that are dark.
                              We come
in search of company, to verify
that we are not all here and the world still turns,
incomprehensibly.
                              Then someone
suggests we say the Lord's Prayer
right before leaving (words, more
useless words), and I see you
there in the midst of everyone, a blurred figure
outside of time.
                              Here begin for you
the intractable hours of sorrow.

Posta de sol a Penarth

Més enllà de la platja desguarnida,
verdós i adotzenat, l'Atlàntic brunz.
Exànime, la tarda s'estintola
a les blanques façanes del passeig.
Passen parelles abruptes o mudades,
algun captaire, nens descamisats...

Es va fent tard.
                    De sobte s'encongeixen
tots els tentacles de la llum.

Sunset at Penarth

Out beyond the bare beach,
drones, green and prosaic, the Atlantic.
Exhausted, the afternoon props itself
on the white façades of the promenade.
Couples pass in plain or elegant dress,
the odd beggar, shirtless children...

It's getting late.
                    Suddenly
the tentacles of light retract.

Platja a l'hivern

L'or del migdia s'entreté un instant
sobre l'aigua encalmada.
La brisa escriu desitjos breus
a les branques apàtiques dels pins.
Letargia de barques que somien
el final d'un hivern malagradós.
Sorra submisa als peus
i un obstinat silenci de rocalla.

The beach in winter

The gold of noonday plays for a moment
over waters untroubled.
The breeze inscribes fleeting wishes
in the aloof branches of the pines.
Lethargy of boats that dream
of truculent winter's end.
Sand submissive underfoot
and the stony silence of rocky outcrops.

A vegades et busco...

A vegades et busco
entre les cares brusques de la gent
que surt del metro, pètals abaltits
d'alguna branca negra.
                    Et busco
entre els cossos més joves de la platja,
mentre l'estiu estén el seu contorn
de dunes desolades.
Et busco en el revolt inesperat
de fredes nits i dies improbables.
Et busco sempre i sempre m'atordeix
la teva absència insistent
entre el marasme impúdic de les coses.

Sometimes I look for you…

Sometimes I look for you
among the terse faces in the crowd
exiting the underground, drowsy petals
on a dark bough.
              I look for you
among the youngest bodies on the beach,
while summer expands its contours
of lonesome dunes.
I look for you at the unexpected turn
of cold nights and unlikely days.
I look for you always, and always
your insistent absence stuns me
among the shameless entropy of things.

Arbre

Per a l'Alan Yates

Així, desemparat
i ferm, a punt per l'escomesa
matussera del vent.

No pactis amb les ombres
primeres del barranc, ni amb la gebrada
de l'hivern rabiüt.

Desemparat i ferm,
mentre les ombres creixen a cap hora,
la ventada es revincla als camps gebrats
i de sobte t'arriba,
sec i precís,
el cop de la destral al fons del bosc.

Tree

To Alan Yates

Unprotected, and yet
unyielding, ready for the slapdash
assault of the wind.

Don't make deals with the ravine's
early shadows, nor with the angry
winter freeze.

Unprotected yet unyielding,
while shadows spread at early hour,
the wind twists in the frozen fields
and suddenly you hear the echo,
unmistakable, of
the blow of the axe deep within the wood.

Vacances

Ens abracem i les paraules vagues
falquen l'instant del comiat.
Voldries que passés de pressa, molt de pressa,
recuperar de cop la densa soledat
del vespre i l'autopista.

Sempre et sorprèn la pulcritud de l'odi
rere el desordre dels gestos fraternals.

Holiday

We hug each other as vague words
seal this moment's good-byes.
You want to get done with it quickly, very quickly,
and turn again to the thick solitude
of the evening and the motorway.

Ever the source of wonder is the charm and grace
of the hate lurking in the dishevelled gestures of fraternity.

Punts cardinals

L'est és el mar amable de Llafranc,
el mar dels meus estius, un punt precari
entre el desig tossut
i la mala memòria.

El nord, la pluja fàcil als jardins
empiocats, les guerres de l'hivern,
la soledat i els malfactors de sempre.

L'oest és l'herba blava de Kentucky
i un tren feliç de Frisco a Santa Barbara.

El sud, la teva pell, ombra i codonys.
La teva pell. La teva pell. La teva pell.
Ombra i codonys.
La teva pell.
El sud.

Cardinal points

East is the kindly sea at Llafranc,
the sea of my summers, a shaky point
between bull-headed desire
and fuzzy memory.

North, clocklike rain on paltry
gardens, the battles of winter,
solitude and the usual culprits.

West is the bluegrass of Kentucky
and an amazing train from Frisco to Santa Barbara.

South, your skin, shade and quince.
Your skin. Your skin. Your skin.
Shade and quince.
Your skin.
South.

Assaig de càntic en el temple

Cansat d'aquesta terra
vella, salvatge i tan conservadora,
vaig marxar cap al nord,
on diuen que la gent és neta
i noble, culta, rica, lliure,
desvetllada i feliç.
Els meus germans, malhumorats, van dir:
"El que se'n va del seu indret, que s'espavili!",
i jo, ben lluny, vaig adonar-me
que el nord és una terra vella,
salvatge i tan conservadora com la meva,
i que la gent és bruta, innoble, pobra,
tan infeliç com la d'aquí. O potser més.
(Viatjar poc ens torna idealistes.)

Rehearsal of a canticle in the temple

Tired of this land
so old, so savage, so conservative,
I set out for the north,
where they say people are clean
and noble, cultured, rich, free,
alert and happy.
My brothers and sisters, sour-tempered, said:
"Leave your native place and you're on your own!"
Then I, far away, came to realise
that the north is an old land,
savage and conservative like my own,
and that people are dirty, ignoble, poor,
as unhappy as here. And perhaps more so.
(Travel does not make idealists.)

Infantesa

Nostàlgia?

Un paradís compacte
de dies blaus, com un mural immens
sense l'engrut negríssim de les hores
ni l'angoixa implacable del desig?

No escoltis més el cant de les sirenes
d'un món que no ha existit.

Childhood

Nostalgia?

A compact paradise
of days coloured in blue, like a huge mural
but minus the pitchy grime of the hours
and the unbending anguish of desire?

Stop listening to the sirens' song
of a world that never existed.

Flâneur

Llum demacrada a les voreres
on furguen els herbots.

Camina lentament, com si temés
una darrera urpada de la fosca,
la soledat de llavis grocs.

Camina sense rumb, com a l'aguait
d'alguna excusa, qualsevol excusa,
per emplenar les hores del matí,
aquestes hores buides, sense nens
ni mares joves que els vigilin, dones
d'una bellesa plàcida, un xic densa,
a vegades esquer del seu desig.

Camina lentament, com si evadís
l'efímera proposta d'un migdia
de parcs deserts i fonts atabalades
entre edificis de rajol vermell.

Els passos lents l'acosten a la tarda
de *coffee shops* i vidres entelats,
d'andanes fredes, pubs amb serradures
i la riuada creixent dels que deixen
la sòrdida oficina, el fosc taller.

Flâneur

Gaunt light on the pavement
where the weeds poke through.

Slowly walking, as if in fear
of a final claw from the dark,
the loneliness of yellow lips.

Aimlessly walking, as if searching
for some excuse, any excuse,
to fill the morning hours,
these empty hours, no kids,
no young mothers watching them, women
of a quiet beauty that has thickened,
at times a lure for desire.

Slowly walking, as if to avoid
the fickle plan of a midday
with deserted parks and dizzy fountains
sprung between red-brick buildings.

The slow pace carries into afternoon,
coffee shops and fogged over windows,
cold train platforms and sawdust pubs;
and growing waves of those now exiting
the cheerless office, the dark-lit workshop.

Llum demacrada a les voreres
on furguen els herbots.

Camina lentament. Només enyora
la neu llunyana d'aquell cos
i l'esvoranc del vespre.

Gaunt light on the pavement
where the weeds poke through.

Slowly walking. Longing only
for the far-off snow of her body
and the empty hole of evening.

Cruïlla

Tota vida conté
un nombre indefinit de zones mortes
i alguns instants així,
d'espera tensa i desenllaç imprevisible.

Tots hi arribem, de tant en tant, a una cruïlla
i les causes, no cal enumerar-les. Són,
si fa no fa, les mateixes, o molt semblants.

Més important és decidir de pressa
(de pressa, sí, de pressa: una cruïlla
no és pas un lloc arredossat, hospitalari)
la forma del futur.

Parlant d'una manera abstracta,
les opcions també s'assemblen molt:
el dolç camí que intenta protegir-nos
dels anys i les ventades, o un gest iconoclasta
que esbucarà el passat.

Però val més no fer-se il·lusions
ja que, per dolç que sigui, cap camí
no podrà protegir-nos dels anys i les ventades,
i un gest valent no abolirà l'atzar
segur de la recança.

Crossroads

All life contains
an indefinite number of dead zones
and some moments like this one,
of tense waiting and unforeseeable outcome.

We all reach, from time to time, a crossroads
for reasons that needn't be listed. They are
generally the same, or very near so.

More important is deciding quickly
(quickly, yes, of course: a crossroads
is not a place of comfort and repose)
how the future will be.

To put it abstractly,
the options are also very much the same:
the sweet path that would protect us
from years and blasting winds, or an
iconoclastic sweep to sink the past.

But better not pin our hopes too high
since, no matter how sweet, no path
can protect us from years and blasting winds,
and no intrepid sweep can ever erase
the implacable happenstance of regret.

Potser és aquesta la lliçó de les cruïlles:
per més que interpel·lem l'esfinx
i ens esforcem a desxifrar l'enigma,
el futur ens reserva un càstig exemplar.

Com Èdip, ens haurem de treure els ulls
i errar fins al final per camins de guineu,
per l'erm de totes les recances.

Maybe that is the lesson of crossroads:
no matter how much we question the Sphinx
and labour to decipher the enigma,
the future holds for us fit punishment.

Like Oedipus, we'll have to pluck our eyes out
and wander to the end on rugged paths,
the barren wastes of all regret.

No sé res de tu

A quines cantonades del dissabte
on el vent es retorça, furiós,
i borratxos estòlids baladregen
la seva soledat?

Per quins jardins
de grava i verds vençuts que breguen
per allargar la plenitud de juny
més enllà d'un setembre de pluja i gronxadors?

Enmig de quina eufòria
o entre quines catàstrofes? Feliç
a l'hora fosca del migdia o trista
entre les crostes blaves del captard?

Quines ferides
que no podré cauteritzar amb l'esforç
de les mans amatents?

Quins boscos calcinats
pel foc imprevisible?

El foc imprevisible
o simplement un raig de sol
a la freda península del tedi?

I haven't heard from you

By which street corners, Saturdays,
where the wind twists and bites,
and drunken fools proclaim
their loneliness?

In which gardens
of gravel and fading greens struggling
to draw out June's plenitude
beyond September's rains and patio swings?

Amid which euphoria
or which catastrophe? Happy
at noon's dark hour or sad
among the crusted over blues of nightfall?

Which wounds
that put to work my willing
hands cannot cauterise?

Which forests burned
by unpredictable flames?

Unpredictable flames
or simply just a ray of sun
on the cold peninsula of tedium?

Quin futur sumptuós
de roses intranquil·les,
weekends de golf i lentes barbacoes
amb els veïns?

Estic content que mai no escoltaràs
l'enyor que, com un rèptil, se m'enrosca
als versos que t'escric.

Which sumptuous future
of restless roses,
golfing weekends and leisurely barbecues
with neighbours?

I'm glad that you will never hear
the heartfelt loss that coils, like a reptile,
around these verses that I write you.

Un soldat de la República

L'avi Joan va arribar a Catalunya
tot sol, abans del 36,
i, abans de ser soldat de la República,
va treballar a la mina de Mont-ras
i va fer pous, amb una colla
de gent com ell, treballadora, humil,
acostumada a no queixar-se.

Després la guerra se'l va endur,
i les presons (Santander i Girona)
de l'Espanya catòlica i feixista.
Pel que m'han dit, no va parlar-ne mai,
de l'època del front, de la derrota,
dels anys perduts i tots els pous de por
que li van fer.

Si hi hagués un altre 36
i calgués defensar una altra República,
jo no sé si tindria el seu valor.
Sí sé, però, que si el tingués
seria a causa d'una imatge
que no he vist mai, la seva
pujant a un camió molt sorollós
de voluntaris
amb l'únic objectiu d'encendre el món
per fer-lo – t'ho creuràs? –
un lloc més habitable.

A soldier for the Republic

Grandfather Joan arrived in Catalonia
alone, before '36,
and before he was a soldier for the Republic
he worked in the mine at Mont-ras,
where he dug wells with a gang
of others like himself, hard-working, humble,
accustomed to not complaining.

Then the war carried him off,
and the prisons (Santander and Girona)
of fascist, Catholic Spain.
As far as I was told, he never spoke of it,
of the time at the front, of the defeat,
of the lost years and all those wells of fear
they dug for him.

If there came another '36
and another Republic that needed defending,
I don't know if I would find the same courage.
But I know this: if I did find it,
it would be because of an image
that I've never seen, that of him
climbing aboard a roaring truck
of volunteers
with the sole aim of setting the world on fire
to make it – would you believe it? –
a better place to live in.

Cyncoed

Vent musculós
i flonja arquitectura de les ombres.
La nit s'estén com un rumor obscè
pels carrers solitaris de Cyncoed.

Tornes a casa tard. De tant en tant,
l'exabrupte llunyà d'algun motor
confirma les maneres del silenci.

És agradable aturar-se un instant
a contemplar els jardins de Woodvale Avenue,
la verda simetria dels parterres
on s'arreceren els rosers,
els racons reservats als rododèndrons,
arbres de maig que miren, circumspectes,
l'escuma blanca dels aliguers.

Hi ha tanques maltractades
per l'hivern truculent,
i tanques noves que desprenen
una olor penetrant de creosota.

Hi ha parabòliques (Sky TV),
roulottes blanquíssimes que hivernen
sota coberts de PVC.

Cyncoed

Muscular wind
and flimsy architecture of shadows.
Night spreads like an obscene rumour
through the deserted streets of Cyncoed.

You come home late. Now and then
the rude startle of a distant motor
confirms the rule of silence.

It is pleasant to stop for a moment
and admire the gardens in Woodvale Avenue,
the green symmetry of the flower beds
where the rosebushes take shelter,
the nooks reserved for the rhododendrons,
the May-trees watching warily
the white foam of the snowball bushes.

There are fences weather-beaten
by unkindly winters,
and new fences sending out
the intense fragrance of creosote.

There are satellite dishes (Sky TV),
gleaming white caravans wintering
under PVC tarps.

Hi ha garatges discrets on s'arrengleren
els trastos d'una vida o de pocs anys,
i casetes de fusta amb tallagespes,
càvecs oscats... les eines de Homebase.

L'ordre preval i les coses s'hi presten,
molt més que tu i els cossos masegats que dormen
rere finestres indecises.

No sents el fred. T'embolcalla la nit
com un jersei de llana.

There are discreet garages storing neatly
the odds and ends of a lifetime, or a few years,
and garden sheds with lawnmowers,
chipped mattocks... tools from Homebase.

Order prevails and such is the way of things,
much better than for you and the ailing bodies that sleep
behind indecisive windows.

You don't feel the cold. The night blankets you
like a woollen pullover.

RENDEZVOUS

RENDEZVOUS

(2013)

Where are the songs of Spring? Ay, where are they?
John Keats

Tu es partout tu abolis toutes les routes. /
You are everywhere you end all roads.
Paul Éluard

Sol, sóc només desordre. /
Alone, I am but havoc.
Narcís Comadira

Em despullo de tot / per esperar-te. /
I strip off everything / to wait for you.
Maria-Mercè Marçal

Llandough Hospital

Oblidaràs
la mullena de sempre,
els carrers improbables de Cathays,
les paraules concretes que dissolen
partícules de por.

Oblidaràs
la llum esquerpa del migdia
sobre els turons pelats,
els interludis de la brisa,
la mentida dels parcs
i les pistes de tennis que es deixonden
al capaltard.

Oblidaràs
l'escala lleu i el passadís inacabable,
les mans desinfectades constantment,
the kindness of a stranger.

Negres gibrelles de la nit
i sang estupefacta.

Oblidaràs
metges efímers,
infermeres amables o distants,
el rostre inexpressiu d'aquestes dones

Llandough Hospital

You won't remember
the usual downpours,
the unlikely streets of Cathays,
the specific words that dissolve
particles of fear.

You won't remember
the elusive noonday light
on the bare hills,
the interludes put in by the breeze,
the falsehood of parks,
and the tennis courts that turn lively
late afternoons.

You won't remember
the gentle stair and endless corridor,
hands constantly disinfected,
the kindness of a stranger.

Blackish bedpans at night
and astonished blood.

You won't remember
physicians come and gone,
nurses friendly and distant,
the empty faces of those women

que aprenen a morir, molt lentament,
amb música de *trolleys*.

La vida mínima.

Oblidaràs
el lloc, el temps i el trau de la ferida,
l'aigua embassada del dolor
i els moments de vertigen.
                              Tot, excepte
la vasta soledat d'un nom.

learning to die, very slowly,
to the music of the trolleys.

Life at its least.

You won't remember
the place, the time or the hole left by the wound,
the stagnant waters of pain
and vertigo spells.
                   All forgotten, except for
the vast loneliness of a name.

Malalta

Les coses, sense tu,
com expectants, perdent-se
dins la creixent amplada d'un silenci
aterridor.

Les coses, sense tu,
com esperant-te.

Sick

Things, without you,
as though waiting, fading away
in an ever-widening and terrifying
silence.

Things, without you,
as though waiting for your return.

Leisure Centre

Torna la primavera
de pàl·lides finestres sobre el parc
on juga la mainada, indiferent
a l'aire fred i l'hora intempestiva.

Observes, desvagat,
la tendra ineptitud dels cossos
empaitant un objecte de colors,
vida frement que encara s'extasia
per un no res d'herbei.

La mort s'oreja entre les cases
d'Albany Road.

Leisure Centre

Spring is here again,
its pale windows commanding the park
where children play, heedless
of the chill and the untimely hour.

You watch, unbusy,
the tender clumsiness of bodies
chasing after a coloured object,
life teeming and bubbling in extasy
over no more than a patch of lawn.

Death takes a bit of air among
the houses in Albany Road.

East End

Londres. La vida.
Aquest matí de juny.
La llum mesquina d'un vagó de metro
que em porta lluny de tu.
                          Rosec
dels anys passats de pressa, que se'm torna
trànsit, sirenes de l'East End,
horitzó retallat per les façanes
d'insípids gratacels,
la bruta soledat de les voreres
atapeïdes de vianants,
la pressa i el desfici i la basarda
sempre latent.
                   No res de nou:
Londres, la vida – una ferida oberta –
i aquest matí de juny.

East End

London. Life.
This June morning.
The paltry light of an underground carriage
that takes me far from you.
                                    The sting
of years speeding by, and coming up
traffic, sirens in the East End,
horizon cropped by façades
of vapid skyscrapers,
the filthy solitude of pavements
packed with pedestrians,
the rush and the worry and the fear
always lurking in the wings.
                                    Nothing new:
London, life – an open wound –
and this June morning.

Joan Miró

Per a l'Elza Adamowicz

De sobte, un desencaix molt lleu
de peces obsoletes.

O un èmbol inaudible percudeix
i altera el ritme previsible de les coses
terribles o banals.

O un canvi inesperat de perspectiva
que indefineix el món.

S'esberla l'estructura d'una cèl·lula.
Un tren arriba massa d'hora o massa tard.
Fedra contempla el cos omnipresent d'Hipòlit.
Ulisses decideix que ignorarà
el cant de les sirenes.

De lluny estant, no passa res.
La cèl·lula va fent la seva via.
Els trens arriben massa d'hora o massa tard.
Cossos cansats s'adormen i es regiren
dins la fosca placenta de la nit.

Cremen, com sempre, els boscos de la vida.

Joan Miró

To Elza Adamowicz

Suddenly, a slight misfitting
of parts now obsolete.

Or an inaudible piston impacts
and alters the foreseeable rhythm of things
terrible or commonplace.

Or an unexpected change in perspective
that undefines the world.

The structure of a cell is shattered.
A train pulls in too early or too late.
Phaedra sees everywhere the body of Hippolytus.
Odysseus chooses to ignore
the sirens' song.

Seen from far off, there is nothing the matter.
The cell goes about its way.
Trains pull in too early or too late.
Weary bodies sleep and stir
inside the dark placenta of the night.

As always, the forests of life are burning.

En algun lloc, però, algú ja ha començat
la feina inajornable de morir-se.
O puja, a poc a poc, sense saber-ho
– sabem mai res? –, l'escala d'un deliri.

Somewhere, though, someone has begun
the unpostponable work of dying.
Or slowly, slowly climbs, without knowing it
– do we ever know anything? – the ladder of delirium.

Brief encounters

La brusca passió
d'uns cossos cauts i gairebé malmesos
que intenten ajornar l'opacitat
darrera, el gris desfici de la cendra
que ho empolsa tot.

Tors mutilat de llum
al fràgil pedestal d'alguna tarda.

Brief encounters

The brusque passion
of cautious bodies all but maltreated
and trying to put off the final
obscurity, the grey distress of ashes
spreading their dust over everything.

Mutilated torso of light
on the fragile pedestal of some afternoon.

Abans d'anar-te'n

Abraça'm fort i deixa que s'escoli
l'aigua insensata dels minuts,
la sang secreta que transporta
larves d'afecte, breus infeccions
de còlera o d'esglai, esguards que escampen
un polsim de tendresa, quasi res.

Abraça'm fort i fes que es dilueixin
la llum abrusadora dels matins
d'agost, els ports, les autopistes,
la soledat estricta, els trens atrafegats,
el tedi de les tardes fraudulentes,
les algues llefiscoses del desesper.

Abraça'm fort. Provoca un cataclisme
de besos, de rialles, de desig.
Aboca-hi les presons decents o vergonyoses,
les tèrboles banderes de l'ordre i del futur,
els gerros exquisits d'una prudència
que no serveix de res.

Abans d'anar-te'n,
abraça'm fort,
parla'm com una pluja
i deixa'm escoltar.

Before you leave

Hold me now and let the senseless
waters of minutes run by,
that secret blood transporting
larvae of affection, short-term contagions
of anger and fear, glances that cast
the thinnest sprinkling of tenderness.

Hold me now and dispel
the braising sun of August
mornings, the harbours, the motorways,
the rigid loneliness, flurry of trains,
the vacuum of fraudulent afternoons,
the slippery seaweed of despair.

Hold me now. Bring on a cataclysm
of kisses, of laughter, of desire.
Pour in prisons both decent and shameless,
the turbid banners of order and future,
exquisite vases of caution
that serve no use.

Before you leave,
hold me tight,
talk to me like rain
and let me listen.

Les hores

Les hores tenses.
Les hores insolents.
Les hores irascibles.
Les hores deslleials.
Les hores mortes.
Les hores o aviat.

Digues, recordaràs aquestes hores
primeres del canal?

Les hores esmolades.
Les hores (poques) de plaer.
Hores que es fonen a la boca.
Les hores de *biscuit glacé*.

Les hores que contenen el presagi
d'una impossible plenitud.

La pena per les hores que se'n van de pressa.

On és la música d'abril,
la música inaudible de les hores
lentes d'abril?

L'hora dolenta.

The hours

The tense hours.
The rude hours.
The irritable hours.
The disloyal hours.
The wasted hours.
The hours or soon.

Tell me, will you recall these first
hours by the canal?

The well-sharpened hours.
The (few) hours of pleasure.
The hours that melt in your mouth.
The hours of *biscuit glacé*.

The hours that hold the portent
of an impossible plenitude.

Grief for the hours that quickly slip away.

Where is the music of April,
the inaudible music of the slow
hours of April?

The wretched hour.

Les hores, les derrotes i després.
Les hores insurgents i poca-soltes.

Les hores i potser.
La torre de les hores.
Les hores que demanen sí o no.
Les hores netes del silenci.
Les hores que no esperen a ningú.

La bellesa convulsa de les hores
al teu costat.

Hores caòtiques com una cambra
dels anys adolescents.

Les hores que s'adormen a la sorra
calenta de Llafranc.

Les hores, els poemes, les carícies.
Les hores, el desfici, les presons.

Les hores per guanyar-se la mesada.
Les hores llargues com un dia sense pa.

Les hores desmenjades.
Les hores que estenem al sol.
Les hores flàccides del tedi.

Ens trobarem
al fons de l'escullera on s'allargassen
les hores i els perfums de juliol?

The hours, the defeats and afterwards.
The insurgent and the shameless hours.

The hours and maybe.
The tower of the hours.
The hours that call for a yes or a no.
The pure hours of silence.
The hours that wait for no one.

The convulsive beauty of the hours
at your side.

Helter-skelter hours like a room
from teenager years.

The hours that slumber on the warm
sands of Llafranc.

The hours, the poems, the caresses.
The hours, the angst, the prisons.

The hours earning the monthly pay.
The hours long like a month of Sundays.

The laggard hours.
The hours hung out in the sun.
The sagging hours of tedium.

Will we meet
at the end of the breakwater where the hours
and July's fragrances stretch out far?

Les hores malgirbades.
Les hores que no compten, ben al fons.
Tantes i tantes hores.

Les hores a l'aguait
d'un brusc recolliment de les paraules.

Les hores vulnerables com infants
d'una postguerra.

Les hores amatents.
Les hores capficades.
Les hores que han passat de llarg.
El somriure trapella de les hores.

Lenta esclerosi de l'estiu
i les hores provectes.

Hores així,
sense esperança ni memòria.

Les hores i mai més.
Les hores escapçades.
Les hores fèrtils, tanmateix.

L'ofec de moltes hores.
Hores perdudes o guanyades, m'és igual.
Les hores que se'm fan estranyes.
Les hores sense tu.

Totes les hores.

The dishevelled hours.
The hours that don't count, way in the back.
So many, many the hours.

The hours on the lookout
for a sudden gathering of words.

The hours that like post-war children
are vulnerable.

The attentive hours.
The brooding hours.
The hours gone right on by.
The mischievous smile of the hours.

Slow sclerosis of summer
and the ageing hours.

Hours like these,
without hope or memory.

The hours and nevermore.
The hours cropped.
The hours fruitful, nevertheless.

So many stifling hours.
Hours lost or gained, no matter.
The hours that seem so strange.
The hours without you.

All the hours.

No ho diguis a ningú

No diguis res.

Que les coses t'acullin com ho feien
abans, indiferents o dòcils, simple neu
que un peu desfà, sense adonar-se'n.

Torna, si vols, als llocs de sempre:
les tèbies terrasses de l'estiu,
els caus nocturns on l'hivern s'embriaga,
les cases i les festes dels amics,
l'obra d'uns quants poetes predilectes.

Vés-hi amb l'aplomb d'ahir.
Escolta i assenteix, com si sobressin
els gestos abrasius
o les paraules vagues.

Però no diguis a ningú
com és de fonda la ferida
i el desenllaç, d'incert.

Don't tell anyone

Don't say anything.

Let things welcome you as they did
before, indifferent or pliant, mere snow
unwittingly crushed underfoot.

Go back, if you like, to the same old places:
the warm terraces of summer,
the night-time dens of intoxicated winter,
the houses and parties of friends,
the works of a few favourite poets.

Go there with all the poise of yesterday.
Listen and nod assent, as if dismissive
gestures and vague words
were out of place.

But don't tell anyone
how deep the wound is
and how uncertain the denouement.

Cançó enfadosa

Cansat
de tractar les paraules com si fossin
objectes valuosos o plaents,
de dir-te sempre les mateixes coses,
com un amant que desconeix
la virtut implacable del silenci.

Cansat de construir amb tots els treballs el mur
on projecto les ombres que t'acosten,
t'allunyen i després em deixen sol,
fins que me'n canso.

Cansat de perdre't i de perdre'm,
i també de buscar-te inútilment
quan la nit es descalça entre les cendres.

Cansat de màscares, miralls, miratges,
de frèvoles estances on malviu
el corc de la memòria.

Cansat de tot.
Cansat de la cançó enfadosa
del cansament.

De tanta vida fosca
a plena llum del dia.

Song of the tired

Tired
of treating words as if they were
valuable or pleasing objects,
of telling you always the same things,
like a lover who is ignorant
of the tenacious virtue of silence.

Tired of exhausting my strength to build the wall
where I screen the shadows bringing you near,
then far, leaving me alone
until I tire of it.

Tired of losing you and losing myself,
and of looking for you to no avail
when night takes off its shoes among the ashes.

Tired of masks, mirrors, mirages,
and frail rooms where the woodworm
of memory lives no life.

Tired of everything.
Tired of the tiring song
of being tired.

Of so much life in darkness
in the broad light of day.

Una altra matinada

Llum indigent
i un vent llengut que s'encamella als arbres
del camp de golf.

Fragments de nit esmicolada.
Les àrides paraules que et dius a tu mateix.
La tristesa insondable.
                    Sobretot,
l'impuls d'alçar-te i de sortir al carrer
a veure una altra matinada que es dessagna.

Another early morning

Destitute light
and a lippy wind scaling the trees
on the golf course.

Pieces of crumbled night.
The dry words you say to yourself.
The immeasurable sadness.
                                        Above all,
the impulse to rise and go into the street
to see another morning bleeding out.

Oasi

En el desert dels dies,
l'oasi desitjat.

Després, la por de perdre'l,
que sigui solament una delusió
grotesca dels sentits.

Oasis

In the desert of your days,
the oasis so longed for.

Afterwards, the fear of losing it,
that it might be just a grotesque
delusion of the senses.

Demà

Per a en Roger i l'Anna

Sota la grisa rectitud de les llambordes,
els jardins enigmàtics del desig.

Sota la plaça dura del desfici
adolescent, les fibres de l'oblit.

Sota la rambla enquimerada de l'hivern,
el verd serrell d'alguna primavera.

Sota les velles catedrals gebrades,
la pàtria segura de l'instint.

Avui la nit es tallarà les venes.
Demà, però, un matí de festa i de fulards.

Tomorrow

To Roger and Anna

Beneath the grey rectitude of paving stones,
desire's enigmatic gardens.

Beneath the hard square of adolescent
restlessness, the fibres of forgetting.

Beneath the dreamy promenade of winter,
the green fringes of springtime.

Beneath the ancient frosted cathedrals,
the certain homeland of instinct.

Today the night will slit its veins.
But tomorrow, a morning of festival and foulards.

Cardiff Bay

Salva't i salva'm
d'aquest octubre indecorós i amarg,
dels seus ponents de llum esgalabrada,
del vent que malalteja en els jardins
de Roath o de Rhiwbina, de la pluja
impassible i els dies ensopits,
de les sales d'espera als hospitals
on la mort s'emmurria o s'empolaina,
del fred intens als parcs agemolits,
de les hores blavoses que rellisquen
fins a capvespres de carrers oscats
i negres passarel·les que foraden
el cel terrós i buit de Cardiff Bay.

Salva't i salva'm
de l'enyor indicible que corromp
la plàcida bellesa de les coses.

Cardiff Bay

Save yourself and save me
from this bitter and unseemly October,
from its sundowns of crippled light,
from its sickly winds in the gardens
of Roath and Rhiwbina, from its heedless
rains and its lumpish days,
from its hospital waiting rooms
where death sits sulking and sprucing,
from the biting cold in shivering parks,
from the blueish hours that slip away
towards a nightfall of jagged streets
and the dark gangways piercing
the muddy empty sky of Cardiff Bay.

Save yourself and save me
from the unsayable longing that corrupts
the placid beauty of things.

Limehouse

Uns ulls que han vist
la bellesa impossible del teu rostre,
els parcs llunyans on s'esbargeix l'oblit,
els trens que mai no et portaran a casa.

La tendresa podrint-se en els abocadors
d'ahir, de sempre.

Desitjos dissecats.
Capvespres d'uralita.

L'ala promíscua
del desesper.

Limehouse

Eyes that have seen
the impossible beauty of your face,
the far-off parks where oblivion runs free,
the trains that will never bring you home.

The tenderness decaying in the landfills
of yesterday, of always.

Desires dried up.
Evenings of asbestos roofing.

The promiscuous wing
of despair.

Espera

Peles de fruita i collarets de boira
a l'entrada del metro. Ungleja el fred.

Espera.

Les cases pobres, els jardins atents
al soliloqui erràtic de la pluja.

Espera.

L'abisme dels fanals, els bars menuts,
la ferida del riu o les barcasses.

Espera.

Les parets de maons, els parcs baldats,
garatges inclements que tardoregen.

Espera.

Farmàcies somortes o de guàrdia.
Les avingudes llargues com retrets.

Espera.
        Avui espera vagament,
la vida, les paraules, jo què sé.

Waiting

Peelings of fruit and fog necklaces
on the entrance to the Tube. Clawing cold.

Waiting.

The houses of the humble, the gardens alert
to the fitful soliloquy of the rain.

Waiting.

The abyss of streetlamps, tiny pubs,
the running sore of the river and the barges.

Waiting.

The brick walls, the worn-out parks,
weathered garages turning with autumn.

Waiting.

Chemists half-lit and on-call.
Avenues long like reproaches.

Waiting.
         Today, waiting, vaguely,
for life, words, and who knows what.

De sobte, un vespre, a Matlock Street

Afanya't.

No facis cas dels emissaris amatents
i ben peixats de la prudència,
de la dolça catxassa dels eunucs
que discursegen al gimnàs o a les piscines,
del *cafard* indolent
o d'inertes Arcàdies.

Recull aquest piló de runa i fuig
de la tendresa sense objecte, del sarcasme
de les finestres invidents, del fred
impietós que et clivella les mans,
aquestes mans feineres que es despullen
de tot, per esperar-la.

Afanya't.

No deixis que t'empaiti
la negra lluentor dels atzucacs.

Suddenly, one evening in Matlock Street

Make haste.

Pay no heed to the well-fed, affable
emissaries of good judgement,
to the laid-back lethargy of the eunuchs
lecturing at gyms and swimming pools,
to catatonic loafers,
or to standstill Arcadias.

Pick up this pile of ruins and fly
from tenderness aimed at no one, from the sarcasm
of blind windows, from the ruthless
cold that splits your hands,
these working hands stripped
to the bare, waiting for her.

Make haste.

Don't let yourself be caught by
the dark brilliance of dead ends.

Cambres de la tardor

Vindran els dies de novembre,
el fred obtús, els sols espellifats.

Vindran les matinades lívides,
els arbres tètrics o ensonyats,
trens irrisoris que colpegen
la soledat metàl·lica dels ponts.

Vindran les cambres de novembre
on el seu cos se t'apareix sovint,
les veus llunyanes dels paletes,
el vent que s'entafora, furiós,
al fons dels hivernacles.

Vindran migdies atordits,
els alts terrats sense rialles,
la llum de préssec de les tardes que envaeix
barris inermes, arrasats.

Vindran la pluja inconsolable,
el fang, les nafres dels jardins.

Vindran les cambres buides de novembre,
gràcils fantasmes del desig.

Les nits seran molt llargues.

Autumn rooms

There will come November days,
the blunt cold, the ragged suns.

There will come pale mornings,
the gloomy and the dreamy trees,
ridiculous trains that strike
the metallic solitude of the bridges.

There will come November rooms
where her body appears to you often,
distant voices of the builder's men,
the wind whipping furiously
deep in the greenhouses.

There will come bewildered noondays,
upper terraces devoid of laughter,
the peach-coloured light of afternoons invading
defenceless neighbourhoods laid waste.

There will come the inconsolable rain,
the mud, the bruised gardens.

There will come the empty rooms of November,
desire's graceful ghosts.

The nights will be long.

Dies feliços

Abans que tot s'enruni.

Abans que les paraules abandonin
la darrera resclosa de sentit.

Abans que un vent desmanegat escampi
cendres i oblit en arbredes roents.

Abans que tot s'enruni.

Happy days

Before all comes toppling down.

Before words take their leave
of the last safehold of meaning.

Before a careless wind scatters
ashes and oblivion in burning woods.

Before it all comes toppling down.

Mans

Les mans que t'han buscat a Cardiff Central
i a les fredes andanes de Mile End,
en el llindar de tots els edificis
de les velles ciutats tentaculars.

Les mans que mai no tornaran indemnes
d'aquests carrers crepusculars on jeu
la neu distreta i flonja de desembre.

Les mans que enyoren la tardor
i l'herba impacient del teu somriure.

Les mans que, com la vida, han exigit,
cop i recop, una vida més alta.

Les ales fràgils del desig.
Les mans que sempre et busquen endebades,
i dubten o s'estimben cos avall.

Ocells porucs que malden per tenir-te?
O simplement un escandall que avui
mesura la fondària del vespre
i les passes discretes de l'oblit?

Hands

Hands that searched for you at Cardiff Central
and on the cold platforms at Mile End,
at the entrance of every building
of the old tentacled cities.

Hands never to leave unscathed
these twilight streets blanketed
in December's airy, spongy snow.

Hands that long for autumn
and your smile of eager fields of grass.

Hands that, like life, demand,
over and over, a farther-reaching life.

Fragile wings of desire.
Hands that search for you always in vain,
and stop short, or fall to my sides.

Shy birds bent on having you?
Or simply, plumb lines that today
measure the depths of the evening
and the soft steps of oblivion?

Com si

Com si mai més.

O (per què no?) com si tornessis
un dia net de juny, i sense por,
sense la por que sempre m'atenalla
molt lluny de tu.

O com si encara.

As if

As if never again.

Or (why not?) as if you came back
one clear June day, unafraid,
free from the fear that always takes over
when so far from you.

Or as if now as always.

Rendezvous

Ens trobarem molt lluny d'aquí,
de la foscor que, brusca, s'entravessa
entre tu i jo, de tantes nits d'hivern
i el fred indesxifrable de Westferry.

Ens trobarem en bars acollidors,
fugint de les andanes on pidolen
la soledat, el tedi macilent,
el cerç groller dels vespres de quaresma.

Ens trobarem en edificis nets,
a les pulcres eixides del silenci,
als afores dels *malls* on l'oblit exerceix,
a poc a poc, la seva profilaxi.

Vora canals on no s'escola el temps,
o per carrers que mai no duen a una absència,
en els racons d'octubres rovellats
com la teva infantesa o com la meva.

Serà, però, després de la catàstrofe,
quan hàgim dit adéu als agutzils
eficients de la desconeguda.

Rendezvous

We shall meet far, far from here,
from the coarse darkness looming
between you and me, from so many winter nights
and from the undecipherable cold of Westferry.

We shall meet in cosy pubs,
far from the beggarly platforms
of loneliness, the haggard tedium,
the rude north wind of Lenten evenings.

We shall meet in buildings neat and tidy,
in the lovely courtyards of silence,
outside the malls where oblivion
works its slow prophylaxis.

By canals where time does not flow,
and streets that never lead to absence,
in the nooks of rusty Octobers
like your childhood, and mine.

It will be, though, after the catastrophe,
once we have said good-bye to the efficient
bailiffs of the grim one.

EN VESPRES GROCS

ON YELLOW EVENINGS

(2020)

Tell all the Truth but tell it slant.
Emily Dickinson

It is this we learn after so many failures,
The building of castles in sand, of queens in snow,
That we cannot make any corner in life or in life's beauty,
That no river is a river which does not flow.
Louis MacNeice

To love as if we'd choose
even the grief.
Anne Michaels

Tot ja ha estat dit / – i tu sempre, sempre fas tard. /
Now all is said and done / – and you're always, always late.
Antoni Clapés

Una altra poètica

Allunya't dels firaires que ofereixen
ínfima fressa, efímeres lluors.
Acosta't tant com puguis al silenci.
Recorda sobretot això: sovint
la veu que es fa escoltar és la veu més baixa.

Another poetics

Stay away from the ballyhoo of carnival stalls,
their scandalous racket and fleeting lights.
Come near as you can to silence.
Remember, above all: the voice
that gets heard is often the softest.

Laberint de cendra

Creure, per un instant,
que tot serà possible?

Camina, esmaperdut,
pel laberint de cendra.

Espera l'aridesa del no-res,
la nit incontestable.

Labyrinth of ashes

Believe, for a moment,
that anything is possible?

Walking, bewildered,
through a labyrinth of ashes.

Awaiting the dry gullet of nothingness,
the irrefutable night.

En vespres grocs

En vespres grocs
o en matinades sense escrúpols,
love's labour's lost
i les paraules balbes.

Demà, com sempre, és massa lluny.

On yellow evenings

On yellow evenings
or unscrupulous mornings,
love's labour's lost
and senseless words.

Tomorrow, as always, is far too far.

Paisatge nocturn a Roath Park

Carrers vexats
i aquesta immòbil processó dels arbres.

Llagues minúscules de llum
en el mirall anguniós de l'aigua.

No hi ha ningú.
        Només
l'ombra d'un gat errívol i el silenci
impúdic i tenaç.

Night landscape in Roath Park

Vexed streets
and this standstill procession of trees.

Tiny blisters of light
in the distressed mirror of the waters.

There is no one.
          Only
the shadow of a roaming cat and silence,
shameless and unrelenting.

Propòsit

Que les paraules tornin cap a tu,
animalons obedients que busquen
un cert escalf contra la nit, l'hivern
i els anys indesitjables.

Intent

Let the words turn your way,
obedient creatures seeking
some warmth against the night, the winter
and the regrettable years.

Anar-se'n

Val més així,
anar-se'n molt de pressa,
sense l'angúnia turgent dels mots,
sense l'exordi precipitat de la nostàlgia,
sense soroll.

Going away

It's for the better,
going away quickly,
without the bombastic anguish of words,
without nostalgia's hasty preamble,
without a sound.

Amistat

Rialles àgils
sobre un repunt del vespre xafogós.

Callen els mòbils i la brisa escampa
un pòsit de conversa.
                              Sento els pins
i la bomba de l'aigua, l'estrebada
intermitent dels aspersors i el ritme lent
dels cossos satisfets, fins que revifa
un altre pòsit de conversa.

Ni tedi ni desfici. Estem contents
de trobar-nos i prou, i no fa falta
que ens ho diguem.
                              Avui tot és així:
discret i favorable.

Friendship

Nimble laughter
on a sultry evening instant.

Cell phones hushed and the breeze scatters
a bid for conversation.
                        I hear the pines
and the water pump, the intermittent
jets of the sprinklers and the easy rhythm
of gratified bodies, until another bid
rekindles the conversation.

No tedium, no disquiet. We are just
glad to be together, and no need
to say so.
                Today is all as much:
low-key and congenial.

Hivern

Cel demacrat
i una pluja estrafeta.

Grisalla incorregible en els carrers
de les viles de Fife.

Un lent rosari
de dies freds.

Winter

Hollow sky
and a lame rain.

Incorrigible grisaille in the streets
of the villages in Fife.

A slow-going rosary
of cold days.

Tot torna

En dies impecables, el desori
d'un cor destituït.

La llum apedaçada de les tardes
llunyanes de Llafranc.

El desfici taronja d'ambulàncies
al campus de Mile End.

La freda austeritat del vent a Leuchars,
amb rerefons de trens.

Aquell hotel de Lexington, Kentucky,
i la sotsobra del desig.

La blava soledat de les piscines
de Llanishen i d'Ipswich Road.

Tot torna i és més trist,
com si ho cridessis a judici.

It all comes back

All things return; yet sadder,
as if summoned to judgement.
Carles Riba

On perfect days, the throes
of a deposed heart.

The patchwork light of far-away
afternoons in Llafranc.

The orange distress of ambulances
at Mile End campus.

The chilling austerity of the wind at Leuchars,
trains in the background.

That hotel in Lexington, Kentucky,
and the agitation of desire.

The blue solitude of the swimming pools
in Llanishen and in Ipswich Road.

It all comes back and brings more sadness,
as if you called it to judgement.

Shoregate

Era només això?

La llum agenollada o displicent a Shoregate.
La duresa del vent en els portals.
La frígida elegància de l'odi
en els despatxos ombradius.

Digues, era només això?

La inanitat dels dies.
Piles de platges i de pluges i de sols,
de pregones absències,
de veus que mai no esberlaran
la sòrdida carcassa del silenci.

Era només això?

Hiverns pagats a la bestreta.
La nit que sempre imposa el seu desfalc.
Les cases i les coses desvalgudes.
La verda pulcritud dels camps de golf.
La darrera fatiga dels diumenges.

Només això?

Paraules a destemps per desitjar-te
que tinguis molta sort?

Shoregate

Is that all it was?

The rude kneeling light in Shoregate.
The harshness of the wind in the doorways.
The frigid elegance of hatred
in the shadowy offices.

Is that all it was then?

The inanity of the days.
Loads of beaches and rains and suns,
and deep-felt absences,
and voices that will never crack
the squalid carcass of silence.

Is that all it was?

Winters paid for in advance.
The night's unremitting embezzlement.
Houses and things turned paltry.
The greeny pulchritude of golf courses.
The long-last fatigue of Sundays.

Is that all?

Untimely words to wish you
the very best of luck?

Viatge

Els dies anodins.
Les nits infèrtils, destensades.

Un llarg viatge
cap al no-res.

Journey

Humdrum days.
Sluggish, unfertile nights.

A long journey
going nowhere.

Vespinos i gelats

Tanques els ulls i tornes a la platja
dels anys adolescents.
                                                                                 És un matí
tranquil de juliol. L'airet de tramuntana
esmola els blaus pensívols de Port-Bo.

Cossos lleugers proposen la mesura
exacta del desig.
                                                       Nedem plegats
fins a les roques on s'encrespen
tirabuixons d'escuma.
                                                         Cap al tard,
vespinos i gelats. La carretera és vella
i el trajecte, molt curt.
                                                          De lluny,
el mar, triangle blau.
                                                              Encara no ens espera
cap nit informe i rebregada.

Mopeds and ice-cream

You close your eyes and go back to the beach
of your teenage years.
                    It's a calm
morning in July. The tramontana breeze
tones up the pensive blues of Port-Bo.

Graceful bodies designate the exact
measure of desire.
                    We swim together
out to the rocks washed
by spiralling foam.
                    Late afternoon,
mopeds and ice-cream. It's an old highway
and the trip is a short one.
                    From afar,
the sea, a blue triangle.
                    No shapeless, tattered
night yet awaits us.

Noi del barri

La nit se li ha torçat
com una peça de ferralla.

I què, si un dia fugirà
dels pèssims paradisos,
dels carrers ensopits,
d'una vida obsoleta?

La vida de debò serà un indret
introbable en els mapes que cobeja.

Neighbourhood boy

His nights have turned twisted
like an old iron bar.

So what if one day he will fly
from this awful paradise,
the bleary streets,
this bygone life?

Life for real will be a place
not found on the maps he clutches at.

Mai més

Que jo no vegi més
la brusca soledat dels teus objectes
desemparats de tu.

Que res no se t'endugui
al polígon més fondo de l'absència.

Que sigui sempre tot com ara:
un dia rere l'altre, sense ensurts
ni llargues tardes de malalta.

Never again

May I never again see
the harsh loneliness of things
you've left behind.

May nothing carry you away
to the farthest zones of absence.

May everything be like now:
one day after another, no dreadful frights,
no long afternoons of sickness.

Esquinç

A la meva mare, in memoriam

No arriba res.
                    Només
l'esquinç de seda de la brisa
als parcs gebrats.

Com si em cridessis
des de molt lluny.

Torn

To my mother, in memoriam

Nothing comes.
                    Only
the torn satin of the breeze
in frozen parks.

As if you were calling to me
from far away.

Epitafi

Vols recular pel temps intravessable
cap a un estiu de portentosa llum?

Que velles les paraules que ara malden
per dir-nos les derrotes i el desig.

"*I want to press myself against your softness.*"
"Vindrà la mort i esdevindrà els teus ulls."
"*Je te l'ai dit pour les nuages.*"
"Despulla'm lentament fins a la sang."
"*Ah, love, let us be true to one another.*"

A fora el vespre escriu
el seu propi epitafi.

Tot és, aparentment,
igual que sempre.

Epitaph

Would you like to go back through uncrossable time
to a summer of magnificent light?

How old the words that struggle now
to tell us of defeats and desires.

"I want to press myself against your softness."
"Death will come and become your eyes."
"*Je te l'ai dit pour les nuages.*"
"Undress me slowly down to my blood."
"Ah, love, let us be true to one another."

Outside the evening writes
its own epitaph.

Everything is, apparently,
just as always.

West Sands

Tantes parets
entre tu i jo.
         Divendres implausible
de sol i brisa nòrdica a West Sands.

Vindràs?

Camino cap al port.
                És baixa la marea.
Hi ha barcasses immòbils en el fang.

Si vens, diré: "Comença'm."

Serà com veure el món
des d'una febre.

I si no vens?
         Seria
com arribar de nit
a una ciutat desconeguda.

Tantes parets
entre tu i jo.

West Sands

So many walls
between you and me.
                              Implausible Friday
of nordic sun and breeze at West Sands.

Will you come along?

I walk toward the harbour.
                              The tide is low.
There are boats lying still in the mud.

If you come, I'll say: "Make me new."

It will be like seeing the world
through a fever.

And if you don't come?
                              It would be
like arriving at night
in a strange city.

So many walls
between you and me.

Desesper feliç
(Homenatge a Joan Vinyoli)

Va ser a començaments d'estiu.
                                    Va ser
com perdre peu, com clivellar-se,
com rodolar de sobte pel pendent
de moltes pors.
                        Com reconèixer
la passió primera, el desesper feliç.

Com accedir a una claredat extrema.

Va ser – com t'ho diria? – un daltabaix
del cor.
                Com una transparència
més noble dels sentits.
                                    Com aixecar
la bastida dels somnis.

Va ser fa temps i encara va cremant
la pira de nosaltres.

Happy desperation
(In homage to Joan Vinyoli)

It was early summer.
                    It was
like not touching bottom, like coming apart,
like tumbling over the cliff
of so many fears.
                    Like apprehending
primary passion, happy desperation.

Like entering into an utmost clarity.

It was – how can I say it? – a cataclysm
of the heart.
                    Like the most noble
transparency of the senses.
                                        Like raising
the scaffolding of dreams.

It was a long time ago and the pyre
of us keeps on burning.

Un sol instant

Un sol instant i t'has endut
estius inacabables,
assajos previs, dejeccions,
dies sencers malmesos
a la negra terrassa del fracàs.

Un sol instant i han emmudit
trens iracunds que foradaven tardes
quiescents de tardor.

Un sol instant que esborra
hiverns opacs en terraplens de malves,
o entre sacs de ciment
d'una obra interrompuda.

Un sol instant, ja ho veus,
i aquesta primavera
de jardins inoïts
i una mar exaltada.

A single moment

A single moment and you have carried away
endless summers,
rehearsals, dejections,
entire days squandered
on the bleak terraces of failure.

A single moment and the irascible
trains that pierced the stillness of autumn
afternoons have fallen silent.

A single moment has wiped away
opaque winters in patches of mallow,
and between sacks of cement
during pauses in building.

A single moment, there you have it,
and this springtime
of unheard gardens
and a frenzied sea.

Paradoxa

Com és que el buit se't fa
la plenitud més fonda?

Com la presència
d'un cos absent.

Paradox

How is it that emptiness
is the deepest of plenitudes?

Like the presence
of an absent body.

Res

Não sou nada.
Nunca serei nada.
Não posso querer ser nada.
À parte isso, tenho em mim todos os sonhos do mundo.
Fernando Pessoa

No va ser res. No va voler ser res.
Un home que jugava amb les paraules
de tots, que va buscar, calladament,
diligentment, la drecera dels somnis.

Nothing

I am nothing.
I shall never be anything.
I cannot want to be anything.
Apart from that, I have within me all the dreams in the world.
Fernando Pessoa

He was nothing. He did not want to be anything.
A man playing with everyone's
words, and searching quietly,
diligently, for a shortcut to dreams.

Roques negres

Pots dir, "La vida és sempre algun naufragi,"
i tanmateix no li faràs cap bé.

Porta-la, doncs, cap a les roques negres
on l'aigua, furiosa, s'abalteix.

Que el vent esbulli els seus cabells
i ho sàpiga només el gest que te'ls acosta.

Pots dir, "Tindràs la forma de les meves mans
i em perdré pels camins de la teva bellesa.
Seré només el ble del teu desig
i tu seràs la meva impaciència."

Així potser faràs saltar
grumolls de sang resseca
dels anys viscuts.

Dark rocks

You might say, "Life is always some sort of shipwreck,"
though it wouldn't be much help.

So take her out to the dark rocks
where the raging waters come crashing.

Let the wind put her hair in tangles and be it
known only to the act that brings them to you.

You might say, "You will take the shape of my hands
and I will lose myself on paths of your beauty.
I will be but the wick of your desire
and you will be my impatience."

And so you might break up
the clots of dry blood
from years of living.

Parlem de tot

Que febles les paraules que insisteixen
a fer perdre la por.
                        Parlem de tot.
De les vides possibles que desaigüen,
intactes, en el tedi.
                        De llocs que no són llocs
sinó temps embassat o l'esguard que els abasta.

D'alguna companyia lleu
o vells estius que estotja la memòria.

D'una simple postdata del desig
i dissabtes de roses escapçades.

Parlem de tot per no parlar de res
i distreure la por, que sempre sura.

Després sortim del metro i cadascú se'n va
a casa seva o cap a alguna absència.

El vespre s'ha tornat angoixa i fred.

We talk about everything

How weak the words that try hard
to send fear packing.
                    We talk about everything.
About possible lives that drain, whole
and intact, into tedium.
                    About places that are not places
but only dammed up time and gazes turning to them.

About easy company
and summers of old boxed in memory's keep.

About a simple postcript to desire
and Saturdays of roses snipped at the top.

We talk about everything so as not to talk about anything
and sidestep fear, always looming.

Afterwards, we leave the underground, each of us
heading for home, or for absence.

The evening turns anguish and cold.

Promesa

Avui escric la brusca ensulsiada
de juny, de tots els junys, la iniquitat
palesa del capvespre, i els presagis
que la nit, impassible, m'ofereix.

Avui escric l'angoixa que s'encasta
en el frívol vertigen del *weekend*;
el dubte fàcil, la derrota abjecta
al migdia blavíssim dels teus ulls.

Avui escric la freda impertinència
de la foscor, els carrers adotzenats,
les places ertes, el dolor que esqueixa
les fibres d'un paisatge malastruc.

Avui escric perquè el teu cos, sol·lícit
i sadollat, s'adormirà molt lluny
de la flonja tendresa dels meus braços,
que t'esperen insomnes i amatents.

Avui escric perquè no sé oblidar-te,
fugir, fins que ja res no em faci mal.
Escric, ja ho saps, perquè *the rest is silence*
i, si no escric, m'engolirà la por.

Promise

Today I write the abrupt collapse
of June, of every June, the patent
iniquity of evening, and the portents
issued by the impenetrable night.

Today I write the anguish that permeates
the head-spinning frivolity of the weekend;
artless uncertainties, the abject defeat
in the bluest noon of your eyes.

Today I write the cold impertinence
of darkness, the prosaic streets,
the rigid squares, the pain that tears
the fibres of a wretched landscape.

Today I write because your body, eager
and quenched, will be sleeping far away
from the soft tenderness of my arms,
that wait sleepless and diligent for you.

Today I write because I cannot forget you,
make a getaway, till nothing more can hurt me.
I write, you know, because the rest is silence
and, if I do not, fear will devour me.

Escric la inicial d'una promesa
per avançar-me, avui, al teu desig:
Mon coeur, un dia tu també seràs
l'eco morent d'una indigna nostàlgia.

I write the initials of a promise
to set in motion, today, what you desire:
Mon coeur, one day you too will be
the dying echo of an outrageous longing.

Dissabte

Cau el silenci amb la mateixa incúria
que cau la pluja en els carrers de Crail.

Torna dissabte amb un mateix seguici
d'ombres exhaustes, pàl·lids predadors.

Saturday

Silence falls with the same detachment
as rain that falls in the streets of Crail.

Saturday returns with the same procession
of weary shadows, pallid predators.

Leuven

La fira al mig de l'esplanada incerta,
empelt de dies i de sols perduts.

La pluja lenta, infatigable, jove,
rellisca pels teulats medievals.

Tu encara no existeixes i és probable,
per dir-ho així, que no existeixis mai.

Sorrut i pensarós, Heràclit passa
pels carrers empedrats de la ciutat.

Leuven

The fair on the uncertain esplanade,
the grafting of lost days and suns.

A slow rain, indefatigable, young,
slides along medieval rooftops.

You do not yet exist and it is likely,
to put it one way, that you never will.

Grim and absorbed in thought, Heraclitus
walks the cobblestone streets of the city.

Veus

La teva veu, qui l'acompanya?
Qui l'ha endurit? Qui l'amorteix?
Quina certesa l'omple, o quin naufragi?

A qui fa mal, la teva veu?
Qui se l'endú o qui l'entabana?
Què la distreu? De quin deliri fuig?

Amb quines veus s'endeuta?
Quin desfici l'esclafa o la corromp?
Quants ecos la turmenten?

Com es redreça o qui l'esbalaeix?
Per què sovint davalla a l'epicentre
humit i fosc del laberint?

La seva veu, com és que no la sents?
A qui consola el seu silenci?

I tu, com t'ho faràs?

Voices

Who comes out with you in your voice?
Who hardens it? Who softens it?
What certainty fills it, or what shipwreck?

Who does your voice hurt?
Who takes it away? Who muddles it?
What distracts it? From what delirium does it run?

To what voices is it indebted?
What disquietude crushes or corrupts it?
What echoes torment it?

What lifts it? What overwhelms it?
Why does it often plummet to the damp,
dark epicentre of the labyrinth?

How is it that you cannot hear her voice?
Who does her silence console?

And you, what now?

Novembre

On ets?
          Quins braços t'agombolen?

Ara calcula el preu d'aquesta pau.

La soterrada violència dels cossos?
L'engany proteic? La inútil pietat?

Vidres esmicolats als peus descalços
i la litúrgia del *laissez-faire*?

Uns ulls esbatanats que temen
la fosca inescrutable del futur?

Les tardes de novembre amb *apple crumble*
i nens que encara juguen al carrer?

El món és ple de fulles seques,
de morts imprevisibles i de fred.

November

Where are you?
                What arms comfort you?

Take pause to calculate the price of this peace.

The buried violence of bodies?
Protean deception? Useless pity?

Shattered glass beneath bare feet
and the liturgy of laissez-faire?

Wide-open eyes that are afraid of the
inscrutable darkness of what's to come?

November afternoons with apple crumble
and children still playing out in the street?

The world is full of dry leaves,
of unforeseeable deaths and cold.

Fotesa

Cada poema un moviment fallit
per acostar-te al nucli de la joia.

Cada poema contra el temps eixorc
d'espera i el relleix de la distància.

Cada poema un fràgil baluard,
una desfeta més, una fotesa.

Bagatelle

Each poem a failed gesture
to show you to the core of joy.

Each poem against the sterile time
of waiting and the after-effects of distance.

Each poem a fragile bulwark,
one more defeat, a bagatelle.

Dol

Ja no.

Arreu les ombres desvarien
i el desconcert d'un vent audaç.

D'allò que mai no va ser teu,
te'n queda el dol profund de perdre-ho.

I si?

Grief

No more.

Everywhere shadows run mad
and the bewilderment of a combative wind.

Of that which was never yours,
there remains the heartrending grief of losing it.

But, what if?